KB103746

셔터스피드, 17

셔터스피드, 17

발　행 | 2023년 12월 29일
저　자 | 김소희
펴낸이 | 한건희
펴낸곳 | 주식회사 부크크
출판사등록 | 2014.07.15.(제2014-16호)
주　소 | 서울특별시 금천구 가산디지털1로 119 SK트윈타워 A동 305호
이메일 | info@bookk.co.kr
저자 이메일 | sohui3485@naver.com

ISBN | 979-11-410-6297-2

www.bookk.co.kr

ⓒ 김소희 2023
본 책은 저작자의 지적 재산으로서 무단 전재와 복제를 금합니다.

셔터스피드,17

김소희 지음

머리말

17년은 어떤 사람에겐 굉장히 길고 어떤 사람에겐 또 아주 짧은 시간일 것이다. 그래도 나에게 17년은 내 인생 전부이다. 많지 않은 경험을 모아서 서투른 솜씨로 책을 묶어내다 보니 글이 완벽하지 않겠지만, 나의 열일곱을 마치 사진처럼 똑 떼어다 물질적인 것으로 남길 수 있음에 그저 감사하고 싶다. 이 책 한 권에는 내 일상 사이사이에 존재하는 사랑, 우울, 회고, 청춘을 솔직한 글과 내 시선의 사진으로 담았다. 당신이 공감할 수 있는 글이 과연 많을지 확답을 줄 순 없지만 내 또래의 아이들이라면 한 번쯤은 해봤던 생각이 아닐지 짐작한다. 만약 하나의 작품이라도 당신의 사랑에 응원을 보내고, 새벽을 조금 더 평안하게 하고, 여름날을 빛나게 했다면 그로써 내 마음은 충분하다. 세세한 문자들에 집중하여 숨은 종이 너머를 파악하려 하지 말고 글을 그림으로 이해하며 작가인 나보다 독자인 당신의 감상을 더 챙기고 느껴보길 바란다. 그것이 나에겐 또 다른 위로로 작용할 것이다.

제3부 내 시선의 지구

제4부 영원을 빌어보자

제1부

사랑, 세상의 원동력

첫사랑

이미 너에게 내 심장의 조각을 주었는데도
또다시 그 붉은 것을 주게 될지 몰랐어
내 일부가 너의 소유라는 사실이 주는 쾌감
아마 심장이 멈춰 서도 난 또 칼을 대지 않을까
뚝뚝 떨어지는 피는 내가 삼키지 못한 집착이야

사랑을 약조함에 꼭 목숨이 필요하진 않잖아

너와 평생을 함께하겠다는 그 말,
내 목숨을 바쳐 너를 사랑하겠다는 그 맹세,
사랑 곁엔 늘 고귀하고 거대한 것들이 가득해
내가 그 무게를 견뎌내지 못하면
그 사랑은 어느새 훅 날아갈 것 같잖아
난 사소한 것에 사랑을 걸어볼래
너와 헤어지는 시간이 아까워
같은 길을 미로처럼 함께 끊임없이 맴돌 때,
눈 닿는 길마다 평화로운 카페에서
당연하게 너가 떠오를 때,
내 기분보다도 먼저 너의 기분을 살피고
같이 아파할 때,
이게 사랑이 아니면 뭐겠어
내 사랑은 이런 것들이야
너로서 유지되는 내 삶 말이야

상처 없는 사랑이 어디 있겠습니까

당신이 낸 상처, 저는 사랑으로 삼으렵니다
저를 아무리 칭칭 감아 옥죄셔도
기꺼이 마음 내드리고 당신의 거름 되겠습니다
저에게 칼날을 겨누고 계셔도
그 큰 눈에 맺힌 눈물이 진심임을 압니다
자연의 순리, 어찌 거스를까요
미안해 마시어요

내일의 소멸

사랑, 그 감정이 뭐라고
이리 오래도록 버텨왔을까
내일은 그대의 얼굴 한 번 더 보고
모레는 그대의 목소리 한 번 더 듣고
그저 좋았다
살아있음에, 그대가 있어 해가 뜨기에

밤길을 걸으며 어둠에 젖었을 때
문득 그대를 떠올리곤 기억에 묻었다
내가 사랑을 놓아버린 것이 두려웠다
그대 얼굴 보지 않아도
그대 목소리 듣지 않고도
내일이 떠올랐다
나는 더 나아갈 수 없었다

이제야 미련을 버릴 수 있을 것 같다

사랑으로써 존재할 때

차마 너를 미워할 수 없어서 나를 부정하고
너의 존재가 무엇보다 가치 있어서 나를 증오해
세상 다 아는 뻔한 이유를 외면하면서
매일 피투성이 되어 새벽을 견뎠어
이제 괜찮아
네 볼을 가로지르는 눈물이 내 사랑을 증명했으니까
사랑만이 나를 숨 쉬게 해

욕심

우리의 시간을
물감에 풀어 바다로 흘려보내자
메마르지 않도록

건조한 공기와 바삭한 이불 속
솜털에 와닿는 포근한 옷감들
적막 속 들려오는 초침의 소음과
산소 사이 사이의 냉기
이 장면 그대로 완벽하잖아
아쉬움 없을 거야

제2부

그림자

내 어둠이 당신에게 드리워질 때

나는 타고나길 어둠인지라
당신에게 그림자를 드리울지 몰라요
속에서 끝없이 피어나는 검은 꽃을
혼자서는 베어내지 못해서
이곳저곳 가시를 드러내곤 해요
당신의 평안을 바라면서도
나를 위해주는 그 눈길이 너무 따스해서
혼자 삼켜보려 애쓰는데도
숨기지 못하고 당신의 손길을 기다리네요
나도 당신도 아프지 않길 바라요
그림자에 가리어도 빛나는 당신은
부디 나에게 지치지 말아 줘요
내 곁을 지켜주세요

오로지 나의 선택이야

곡선과 직선이 아름답게 어우러지는
부드러운 그 평지에 펜을 꽂아 넣어
내가 불행이 되는 거야
불행이 슬픔을 끝맺을 수 있게

탁 터진 붉은빛이 눈알을 칠하고
허밍 소리만이 고막에 남으면
그때 시작될 거야 내 인생의 파노라마가
필연성 따위 없는 엔딩의 끝은 행복이길

셔터스피드, 17

솔직한 고백

그런 날이 있지 않은가
내 앞에 놓인 모든 사물들이
나를 향해 날을 세우고 있는 것 같은 날
손끝을 가만두지 못해 주먹을 꽉 쥐고
멀리서 들려오는 듯한 목소리에 귀를 기울이고
무작정 끊은 티켓을 쥐고 어디로든 향하고 싶었다
괜찮아, 후회는 없을 거야
괜찮아
후회는 없을 거야
.
.
.

그 외침에 설득되는 내가 무서웠다
고개를 들어 태양을 바라봤을 때
빛이 무심하게 나를 관통했다
나는 다시 현실에 발을 붙이고 서 있었다

2023년 10월 22일

행복의 정점에서도 그저 고단한 삶에 지쳐, 현재만을 바라보지 못하는 우리가 슬펐다. 하지만 그런 우리에게 느끼는 슬픔과는 별개로 태도를 바꿀 순 없었다. 지금, 이 행복한 순간의 감정이 나의 삭막했던 삶의 하이라이트였으면 한다. 행복이 언제 또 나를 떠나게 될지 모르니. 길을 걷다 넘어지는 고통과 빌딩 꼭대기에서 추락하는 고통은 확연히 다르지 않은가. 행복에 취할수록, 구름과 가까워질수록, 후에 다가올 절망이 두렵다. 해맑았던 오늘의 끝이 다가오고 저가는 해를 보고 있으면 아름다운 현재 사이로 후회의 과거와 불안의 미래가 파고들곤 한다. 짧디짧은 인생이 막이 내리는 순간까지 온전한 행복이 아닌 처절하게 슬픈 삶이라니, 참 잔인하다 인생이란 것.

기대

모두에게 따뜻한 희망을 주는 그 감정이
사람을 죽일 수 있다는 걸 너는 알까
감정 하나에도 저 구름까지 솟아올랐다가
금세 바닥, 심해까지 추락하곤 하거든
욕심에 끝은 없나 봐
무한히 나를 집어삼켜서 결국 내가 사라지게 해
울음을 가득 안더라도 나는 너에게 손을 뻗을거야

네잎클로버

지구 전체에 분포되어있을 산소가
내 주변만 몽땅 사라진 것 같은 기분이 들 때
다이어리 맨 마지막 장을 채운 네잎클로버를 펼친다
그 작은 이파리는 나에게 행운을 주지 못했지만
숨 쉴 산소를 선사하고
내가 울 수 있게 했다
행운보다 더 값진 선물 아닌가

제3부

내 시선의 지구

당신은 숨 들이마시기 위해
죽도록 발버둥 쳐본 적 있는가

당신은 숨 들이마시기 위해
죽도록 발버둥 쳐본 적 있는가
한껏 폐 부풀려 담은 숨을 뱉지 못한 물고기들과
숨 마시지 못하고 바닥에 얽혀버린 생명들
시선 두는 곳마다 사체가 득실거리니
모두가 쫓는 저 수면이 이젠 무엇을 의미하는지

당신은 고요한 물속에 잠수해 본 적 있는가
빛과 산소를 무시한 채 심해에 잠들어있는 나는
저 치열한 생과 사의 고통을 회피하고 있는 걸까
아님 내 몸에 상처를 내어
아가미를 만들고 있는 걸까

나비가 당신의 눈길을 따라

당신의 눈길이 지나갈 그 자리에
부디 내 온기가 전해지길 바라요
내가 전한 사랑은 당신의 고뇌를 덜어주고
또 다른 망령을 찾아 여행하겠죠
오래도록 고여있는 감정은 없을 거예요
바람 따라 물 따라 흐르고 흘러
나와 다시 마주했을 땐
조금 더 편한 표정으로 잠들 수 있길

발자국 한 쌍

해가 뜨고 지는 사이
얼마나 많은 영혼이 스쳐 지나가는가
그럼에도 모두의 방향은 제각각이라
누구와도 어깨 나란히 걸을 수 없으리
맞잡은 손 버티다 못해 끊어지리
눈물만이 흘러 내 발자국 남기리
그저 나로서 홀로 나아가리
찰나의 애정, 분노, 원망, 우울
결국 모두 사랑인 그 조각들 보고 전신하리

오답

첫 시작부터 타인에게서 행복을 찾는 것에 익숙해진 아이는 더 이상 홀로 살아갈 수 없게 된다. 끊임없이 관계에 지박하고 타인의 기분을 살피며 사과가 습관으로 굳어진다. 자신이 그리는 미래의 모든 장면들이 누군가와 함께이고 혼자인 미래는 불행일 뿐이다. 그리고 이런 아이에게 미래는 두려움일 뿐, 살아남지 못한다.

Color

색,
정확한 답안이 없는 감각
사람에 따라 판단하는 정도와 인지하는 감도가 다르다
나 또한 그대에게 어떠한 초록색으로 비칠지 모르고
그대 또한 내가 보는 초록색이 진정 아닐 수 있다
그저 모두가 자신만의 색으로 빛을 내고
그것을 나라는 필터로 감지한 것
정확한 색은 그 누구도 볼 수 없다
그러니 자신의 색이 없다고 슬퍼 말라
타인도, 나도 모르는 사이 누구보다 찬란히 빛나고 있
을 테니

셔터스피드, 17

그 이름

입술로 읊어만 봐도
눈물이 맺히게 하는 이름이 있어요
어느새 당신의 명찰을 비집고 들어가
원래의 글씨 위를 가득 채운 그 이름이요
당신은 억울하지도 않은지 그저 웃고 있네요
당신의 부르튼 손과 화장기 없는 얼굴은
이미 자취를 감춘 당신의 꿈이 궁금하게 만들어요
당신의 꿈은 내가 되기 전에 무엇이었나요
제발 나만을 위하지 마세요
당신의 명찰 속 지워진 이름이 궁금해요
당신의 청춘을 파랗게 채웠을 소망이 궁금해요
나는 오늘도
맺히는 눈물을 애써 감추고는
당신을 향해서 환하게 웃어요
당신의 명찰에 엄마라는 이름을 새겨줘서
그 무엇과도 바꿀 수 없을 만큼, 감사합니다

제4부

영원을 빌어보자

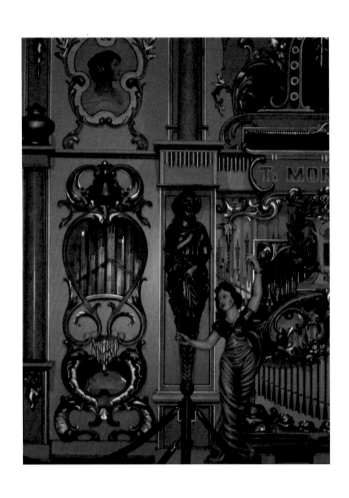

불꽃놀이

그 춤추는 모습이 꼭 우릴 닮았지
꽃의 형태에 홀려 온도를 잊고는
불꽃을 놓지 못하고 찬란함을 따라
넌 눈부신 꽃을 피워주겠니
내 몸에 그 타오르는 열기를 새기고
재가 되어 널 영원히 선망할게

사진

새벽 공기가 가득한 방에는 정적만 감돌고
한 벽을 가득 채운 사진들이 나에게 말을 걸어
우스꽝스러운 포즈와 장난스러운 이야기는
희미하게 재잘거리는 웃음소리를 내지

너희와 눈에 담았던 바다는 찬란했어
결국 지금 같은 결말이 날 걸 알았지만
우리의 모습을 훔쳐봤던 카메라는
우리가 행복했었다고 확신을 주더라

나는 여전히 그때의 우리를 놓지 못해
같이 노래하던 목소리를 미친 듯이 돌려 들으며
이렇게 또 하루를 보냈구나
다행이야 잊지 못해서

청춘

사람의 어리숙함이 좋다
사랑의 설익음이 좋다
어린 나이를 내세워
솔직하게 말할 수 있는 당당함이 좋다
치기 어린 질투 하나 숨기지 못하는
울망한 눈이 좋다
현실과는 동떨어진 엉뚱한 상상들이 좋다
미래도 너와 함께하겠다는,
지키지 못할 소망을 쉽게 내거는 것이 좋다

달력이 한 장, 한 장 떨어지는 것이 두렵다
후에 너무 커버린 내가
지금을 애타게 그리워할까 두렵다
우리가 망설임 없이 건네는 농담들은 사라지고
건조하게 '오랜만이다' 인사를 건네고 있을까 두렵다

오늘도 너와 채워간 나의 청춘은 찬란했다
동시에 끝을 알기에 슬펐다
나는 그저 더 행복하고 강렬하게
초침을 보내줄 뿐이다.

한여름

나이의 흐름은 계절의 흐름을 닮았다
풋풋한 첫사랑의 봄
겁 없이 새파란 여름
성숙의 계절 가을
건조하지만 따뜻한 겨울

해가 내 머리 바로 위에서
나를 죽일 듯이 노려보는 이 여름을 사랑한다
올해도 무난히 끝나버린 여름을 아쉬워하며
저 햇살을 마지막으로 피부에 담는다

마지막 편지를 쓰게 된다면,

안녕하세요. 저의 마지막은 원하던 대로 편안했나요. 나로 인해 당신에게 슬픔을 준 것만 같아 미안한 감정이 커요. 이 글을 읽고 있을 당신은 나와 어떤 사이였을지 모르겠지만, 내가 당신을 사랑했다는 건 알아주세요. 내가 당신의 옆에 있어서 힘들진 않았을까 걱정이 돼요. 그래도 정이 넘치고 꿈이 많던 명랑한 아이로 기억해주세요. 내 욕심일까요. 나는 이런 끝을 맞이했지만, 당신은 오래오래 하고 싶은 것 다 이루고 날 찾아와주면 좋겠어요. 그래서 내가 좋아하던 것들, 당신의 다사다난한 이야기들, 그동안 보고 싶었다는 말 전해주세요. 부모님에게는 끝까지 효도 못한 딸이라 죄송하고, 친구들에겐 같이 미래를 함께해 주지 못해서 미안해요. 그래도 이제 고민거리에 밤새우지 않아도 된다는 건 좋네요. 나를 너무 오래 슬퍼하진 않길 바랄게요. 이 글 안에 모두 담을 수 없어서 아쉬워요. 세상은 내게 충분히 다정했고 예쁜 추억들을 남겨준 것 같아요. 잊지 않고 기억하고 있을게요. 나에게 소중한 사람이 되어주어서 감사합니다. 안녕히 계세요!

2023.09.24.

작가의 말

글을 쓰며 '내가 너무 솔직한 감정을 담는 건가?' 하며 종종 스스로 질문을 던졌다. 하지만 이 프로젝트를 시작하며 내가 가장 굳건하게 다짐한 것은 '그 어디에서보다 솔직하게 밑바닥까지 드러낼 것'이었다. 한 권의 마침표를 찍고 있는 지금, 결과를 되돌아보면 나도 견디기 힘들 정도로 다듬어지지 않은 날것의 감정도 많다. 책의 마지막 부분에 유언 편지를 넣은 이유도 괴로웠던 나의 수많은 새벽에 매일 하던 생각들이기 때문이다. 문학으로 고뇌를 정리하며 나 또한 성장할 수 있었고, 내가 독자들에게 바랐듯이 새벽이 조금 더 평안할 수 있었다. 무엇보다, 정확한 마침표를 찍을 수 있음에 감사했다. 내가 계속 되감고 질문하던 그 의문에 대해 이름 붙이고 포장할 수 있는 시간이었다. 그래서 더더욱 시에 대한 해석은 밝히지 않을 것이다. 감춤 없이 조금은 아름답게 완성된 저 감정들을 다시 파헤쳐서 의문을 이어가고 싶진 않다.